即便在你徹底消失不見的那一刻，
我也沒有發現，
你，不見了。
我不過是變得嚴肅一些，
變得不愛笑一點。

我-Adult

2024 年 5 月 15 日初版第一刷發行

作　　者	趙洙京	
譯　　者	簡郁璇	
編　　輯	吳欣怡	
美術編輯	許麗文	
發 行 人	若森稔雄	
發 行 所	台灣東販股份有限公司	
	＜地址＞台北市南京東路4段130號2F-1	
	＜電話＞(02)2577-8878	
	＜傳真＞(02)2577-8896	
	＜網址＞http://www.tohan.com.tw	
郵撥帳號	1405049-4	
法律顧問	蕭雄淋律師	
總 經 銷	聯合發行股份有限公司	
	＜電話＞(02)2917-8022	

나
(Me and Me)
Copyright © 2018 by 조수경 (Cho, Soo-kyung, 趙洙京)
All rights reserved.
Complex Chinese Copyright © 2024 by TAIWAN TOHAN CO., LTD.
Complex Chinese translation Copyright is arranged with HANSOL SOOBOOK
PUBLISHING CO through Eric Yang Agency

國家圖書館出版品預行編目 (CIP) 資料

我-Adult/趙洙京著；簡郁璇譯. -- 初版. -- 臺北市：臺灣東販股份有限公司,
2024.5
40 面 ;25.2×18 公分
ISBN 978-626-379-359-0(第 2 冊：精裝)
ISBN 978-626-379-360-6(全套：精裝)

862.599   113004295

我

Adult

圖・文 趙洙京　譯 簡郁璇

日復一日的疲憊不堪，
每天，我都好忙好累。
雖然遇見許多人並擦身而過，
卻記不得任何一張臉孔。

我拖著沉重的腳步回到家裡，
然後摘下了面具。

「我真正的臉是長什麼樣子？」
我完全想不起自己的臉，
就好像，臉消失不見了。

直到我抬起頭，不敢相信自己的眼睛。

我的家，彷彿變成了一座森林。

究竟發生什麼事了？

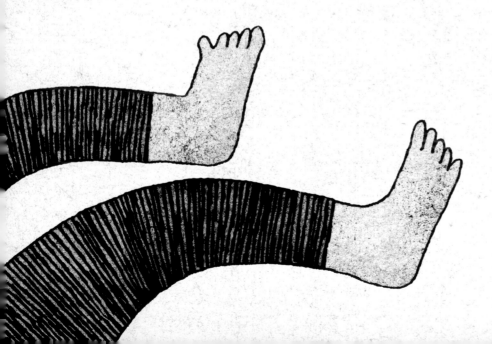

我不慌不忙地走去，
接著看到一名男孩，
正天真爛漫地在酣睡。

我喚醒男孩，問他這是哪裡。

男孩望著我，

那眼神隱約和我有些相似。

「我們一起去個地方。」
男孩牽起我的手開始奔跑。

「是要去哪兒呀？」
男孩沒有回答。
他只是笑嘻嘻地看著我。

轉眼間，我們來到了海邊。

「記得這片海嗎？」

男孩問我。

「嗯⋯⋯我來過這裡嗎？」

撲通！

那一刻，我想起來了。

「我不會游泳！會沉下去的！救救我！」
說來也奇怪，我的身體好輕盈，呼吸也很順暢。
海底的世界美得不可思議。

「真正美麗的事物，有時在我們看不見的地方，
所以不是用眼睛，而是必須用心去看。」
從水中走出的男孩這麼說。
我們置身於沙漠中央的綠洲。
「哇，是綠洲！」

男孩開始淘氣地朝我潑水，
我也不甘示弱地潑回去。
突然，想起了兒時的模樣。
「我跟朋友們也曾經這樣玩耍啊……。」

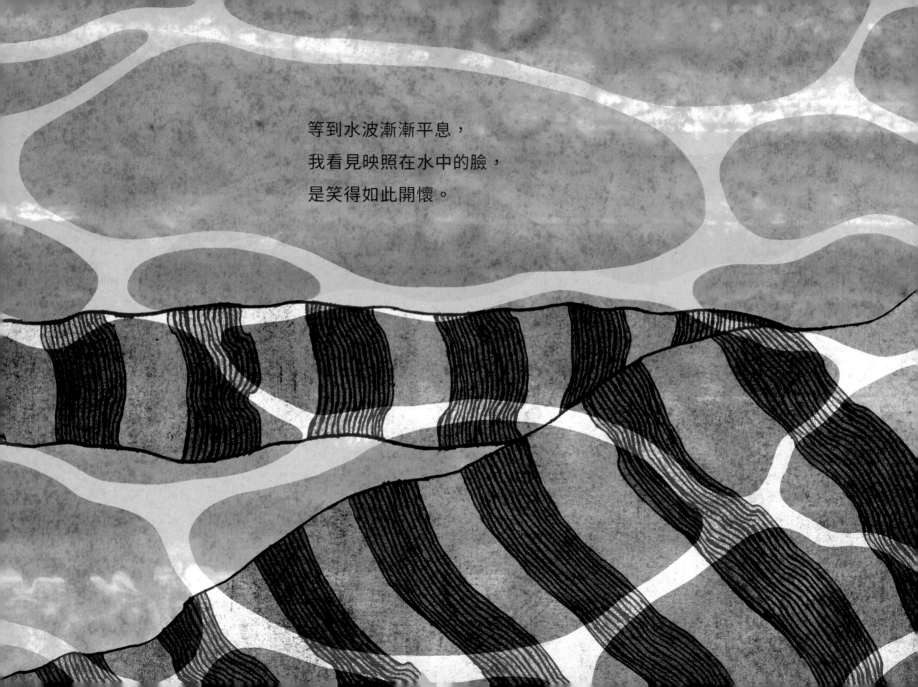

等到水波漸漸平息，

我看見映照在水中的臉，

是笑得如此開懷。

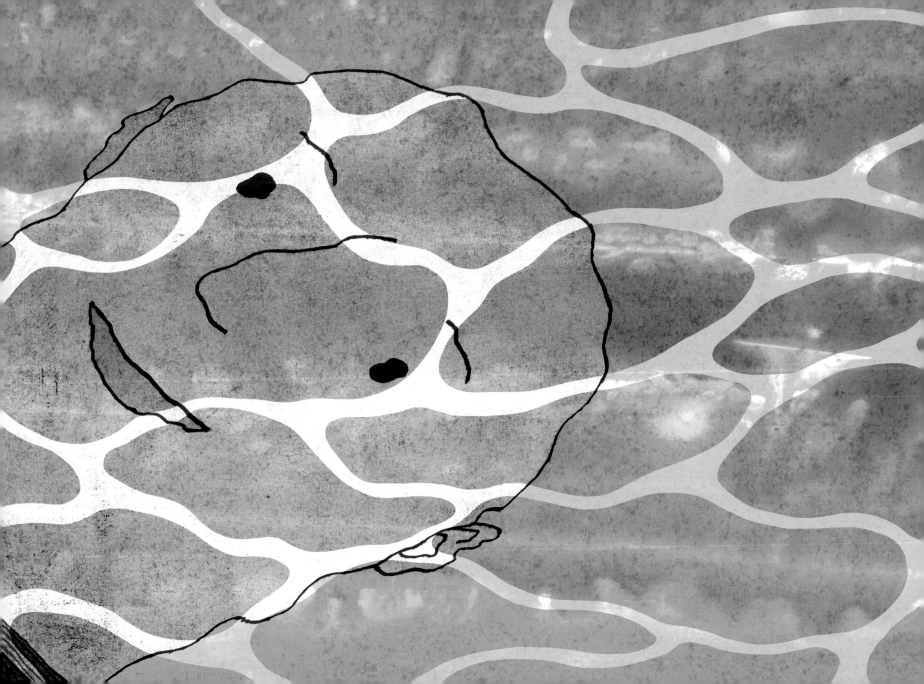

周圍突然暗了下來，耳畔響起了男孩的聲音。

「有些事物不仔細看就會遺忘，但它們始終都在那裡。」

我環顧周圍，卻不見男孩的身影。

「往後不要再戴上面具了。」
我仰望著天空，如此想道。

我知道，
男孩隨時都會再來，
因為我曾經是那名男孩，
他始終都在我的體內。

圖‧文 趙洙京
曾於弘益大學主修陶藝，後於英國金斯頓大學取得插畫碩士學位。
喜愛檢視內心蕩漾的各種漣漪，細細思索。
期許自己能自由想像、深度省思，創作出能愉快織夢的繪本。
圖文作品有《心泉》、《我的尾巴》、《熊來了》。